La clé

Angèle Delaunois

Christine Delezenne

TOurne-pierre

C'est un article de journal qui fut à l'origine de ce livre.
Dans cet entrefilet, on mentionnait que les gens chassés de chez eux
par la guerre, emportaient avec eux la clé de leur maison. Ils espéraient, bien sûr,
y revenir un jour... le plus tôt possible. Les hommes engloutis dans la guerre,
ce sont les femmes, les jeunes filles et les enfants qui se retrouvent sur
les chemins poussiéreux de l'exil.

L'espoir a la vie dure. Dans les camps de réfugiés, l'installation provisoire
devient trop souvent permanente et étouffe plusieurs générations. La clé
emportée dans l'urgence devient alors le symbole d'un bonheur perdu,
d'un passé volé, de racines arrachées qui ont bien du mal à retrouver un terreau
qui les verra refleurir. Symbole aussi d'un mal de vivre qui dure, d'une colère
résignée, d'une immense nostalgie, d'un cœur inconsolable...

Au-delà des guerres, de leurs justifications politiques ou religieuses, des tragédies
monstrueuses qu'elles engendrent, chaque réfugié, chaque déporté, chaque
prisonnier écrit un drame à sa mesure dont ses enfants seront les héritiers.

Cet album est un hommage bien modeste à toutes les femmes et les filles
qui sont parties de chez elles en emportant leur clé et qui ont trouvé le courage
de tout recommencer ailleurs.

À Anamid l'Arménienne,
Fatoumata la Soudanaise,
Kalsang la Tibétaine,
Marie-Illuminée la Rwandaise,
Oro la Juive,
Mukhtar la Pakistanaise,
Nür l'Indienne,
Sahar la Palestinienne,
Sevda la Kosovar
Tuyen la Vietnamienne
Zina l'Irakienne...
et toutes les autres.

A. D. et C. D.

*M*a maison fut bâtie

Bien avant ma naissance,

Dans un champ d'oliviers.

Une porte outremer

Fermait ses hauts murs blancs.

Et dans sa cour fermée,

Régnait un oranger.

La journée où Baba

En a franchi le seuil,

Comme un gage d'amour,

Scellant tous leurs secrets,

Grand-père lui a confié

Une petite clé.

Sur le toit en terrasse,
Baba séchait des herbes.
Ses grands draps blancs flottaient
Dans la brise dorée.
Des fleurs multicolores
Grimpaient le long des murs.
Des oiseaux jacassaient
Dans le vieil oranger.
La belle porte bleue
N'était jamais fermée.
Suspendue à un clou,
Près du mur de l'entrée,
On oubliait la clé.

J'ai ouvert grands mes yeux

Sur ce bonheur tout simple.

Dans ce nid de soleil,

Entourée de sourires,

C'est là que j'ai poussé,

Possédant la maison,

Sur la pointe des pieds,

Cueillant les papillons

Et le parfum des roses.

Dans les rires de Baba,

J'apprenais notre histoire.

Bercée par son amour,

Nous n'avions nul besoin

D'utiliser la clé.

Puis le ciel s'est couvert

De la fumée des ruines.

Comme une marée noire,

La guerre rampait, tout près.

Tous les hommes valides

Coururent s'y jeter.

Mon père, mon frère, mes oncles

Et même mon aïeul

Partirent l'un après l'autre.

Baba cessa de rire

Comme un espoir figé,

Près de la porte close,

Se ternissait la clé.

La guerre s'est retirée,
Comme elle était venue.

Sans trop savoir pourquoi,
Nous étions les vaincus.
Une armée d'inconnus
A envahi nos terres,
Coupant nos oliviers,
Polluant la rivière.
Nous devions tous partir
Puisqu'ils avaient gagné.
Baba claqua la porte
Sur son bonheur blessé.
Cachée sous son voile noir,
Dans sa vieille main ridée,
Elle pesait lourd la clé.

Après bien des détours
Et des nuits sans lumière,
Nous avons tous échoué
Dans une ville éphémère,
Peuplée d'errants comme nous.
Ce qui restait des nôtres
S'est serré sous la tente,
Pour quelques jours seulement...
On nous l'avait promis.
On allait repartir,
Revoir les champs, la vigne,
La grande maison blanche
Et le vieil oranger.
Quand notre foi flanchait,
La vieille Baba grondait
En brandissant la clé.

Les semaines ont passé.

Dans des palais lointains,

Des gens de Haute Cour

Bradaient notre héritage

En butin de guerriers.

« Je te donne ce champ...

Tu me rends la rivière,

La vigne, l'oranger... »

Personne ne se souciait

Des quelques oubliés

Qui enduraient la boue,

La faim, l'indifférence

Sous les toits trop fragiles.

Baba ne riait plus.

Sous l'auvent de la tente,

Souvenir mutilé,

Se balançait la clé.

Les mois se sont enfuis
En folles attentes vaines.
Sous la ville de toile,
Comme une fleur sans eau,
Toute vie s'étiolait.
L'ennui nous rendait durs.
Le désespoir tuait.
Certains des nôtres fuirent
Préférant le néant
À notre mort trop lente.
Sous la tente élimée,
Espérant un miracle,
Nous nous serrions très fort.
Les yeux amers et secs,
Baba nous étreignait
En maudissant la clé.

L'espoir s'est réveillé.

Grand-père est revenu.

Le miracle était là,

Il nous avait trouvés.

Vieillard fragile et lent,

Il mendiait au soleil

Quelques dernières douceurs,

Comme un arbre entaillé

Dont la sève s'épuise.

Baba se démenait

Pour apaiser sa peine.

Le temps d'un doux baiser,

Parfois elle ranimait

Le fantôme oublié

De son pauvre sourire.

Il est mort dans ses bras,

Sous un rayon de lune

En regardant la clé.

L'oubli nous a défaits.

Nous avions tout perdu.

Sous les toiles trouées,

Notre bonheur tout simple

S'estompait peu à peu.

Contre l'oubli sournois,

Baba ne cédait rien.

Elle contait sa rivière,

Le chant des oliviers

Le parfum de sa terre.

Un jour elle s'est éteinte,

Comme un rêve qu'on perd,

En glissant dans ma main

Son voile noir et sa clé.

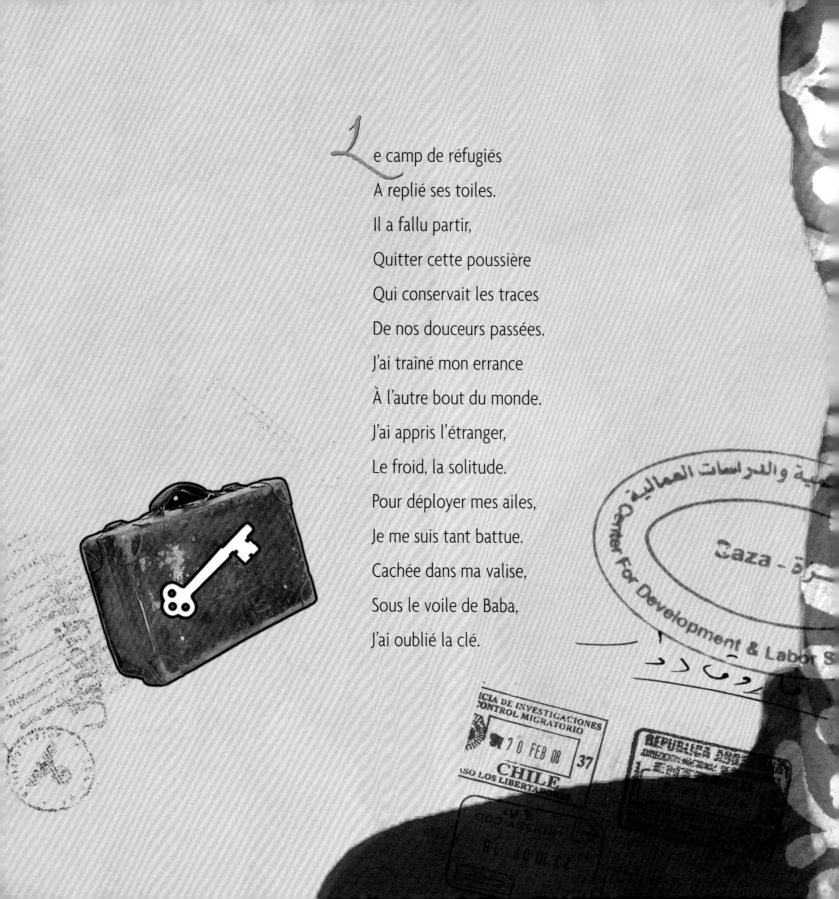

Le camp de réfugiés
A replié ses toiles.
Il a fallu partir,
Quitter cette poussière
Qui conservait les traces
De nos douceurs passées.
J'ai traîné mon errance
À l'autre bout du monde.
J'ai appris l'étranger,
Le froid, la solitude.
Pour déployer mes ailes,
Je me suis tant battue.
Cachée dans ma valise,
Sous le voile de Baba,
J'ai oublié la clé.

Aujourd'hui je suis là,

En simple visiteuse,

Dans cette ville immense

Où plus rien n'est repère.

La cité a grandi,

Envahissant le ciel

Comme une onde bruyante.

Dans le champ d'oliviers,

Des immeubles ont poussé.

La vigne a disparu,

La rivière s'est tarie.

Mais dans une cour d'école,

Caressée de soleil,

Au beau milieu des rires,

J'ai reconquis la clé.

J'ai embrassé le tronc
De mon vieil oranger.

Gravés sur son écorce,
J'ai retrouvé mon nom,
Et mes espoirs passés.

Assise tout contre lui,
Sous la pluie de ses fleurs.

J'ai enfoncé mes doigts
Le long de ses racines.

Avec un peu de terre
Et le sel de mes yeux,
J'ai fait briller MA clé.

*C*e pays est à moi,

Gravé dans ma mémoire.

J'en possède l'histoire,

Le murmure argenté

De tous les oliviers...

Le miel doux des oranges...

Le jus piquant des vignes...

Et la subtile musique

De ses nuits étoilées...

Un jour, j'y reviendrai !

Suspendue à mon cou,

Par une chaîne dorée

J'en ai toujours la clé.

La clé

Direction éditoriale : Angèle Delaunois
Direction artistique : Pierre Houde
Édition électronique : Hélène Meunier
Révision linguistique : Dominique Chichera (Communication NetWord)

Dépôt légal : 3ᵉ trimestre 2008
Bibliothèque nationale du Québec
Bibliothèque nationale du Canada

Catalogage avant publication de Bibliothèque et Archives nationales du Québec
et Bibliothèque et Archives Canada

Delaunois, Angèle

    La clé

    (Tourne-pierre)
    Pour enfants de 6 ans et plus.

    ISBN 978-2-923234-37-3

    I. Delezenne, Christine. II. Titre. III. Collection.

PS8557.E433C53 2008 jC843'.54   C2008-941400-4
PS9557.E433C53 2008

Nous remercions le Gouvernement du Québec
Programme de crédit d'impôt pour l'édition de livres – Gestion SODEC

Nous remercions le Conseil des Arts du Canada de l'aide
accordée à notre programme de publication.

Éditions de l'Isatis
4829, avenue Victoria
Montréal QC H3W 2M9
www.editionsdelisatis.com
imprimé au Canada
Distributeur au Canada : Diffusion du livre Mirabel

Fiche d'activités pédagogiques téléchargeable
gratuitement depuis le site www.editionsdelisatis.com